GROW

오늘도 우린 자라고 있다

GROW 오늘도 우린 자라고 있다

발 행 | 2024년 2월 9일
저 자 | 김주연
이메일 | glory8203@naver.com
퍼낸이 | 한건희
퍼낸곳 | 주식회사 부크크
출판사등록 | 2014.07.15.(제2014-16호)
주 소 | 서울특별시 금천구 가산디지털1로 119 SK트윈타워 A동 305호
전 화 | 1670-8316
이메일 | INFO@BOOKK.CO.KR

ISBN | 979-11-410-7071-7

GROW

오늘도 우린 자라고 있다

GROW 쌤
TABLE OF CONTENTS

GROW 이주배경청소년
TABLE OF CONTENTS

1. 자 기 이 해

GROW 이주배경청소년
TABLE OF CONTENTS

GROW 쌤

GROW 의미

'Grow'라는 단어는 씨앗에서 발아한 새싹이 자라나면서 만나는 포근한 햇빛, 굵은 빗방울, 휘몰아치는 바람 등 시시각각 변하는 환경에서도 자라나는 모습을 연상케 한다. 나의 'Grow'는 뜻밖의 순간에서 시작되었다. 아니 이 순간이 올 거라는 예감을 하고 있었던 것 같다. 2년 전, 나는 이 책을 쓰고 싶다고 생각을 했는데, 그 당시 나조차도 이런 생각이 나올 줄 몰랐다. 거리가 먼 생각이라고 생각했던 그 순간, 나는 자신에게 물어보았습니다. 어떻게 이런 생각이 나올 수 있을까? 그러나 그 두근거림은 사라지지 않았고 책을 끝까지 쓸 수 있는 재료가 되었다.

나에게 있어서 2024년 1월 11일은 Grow를 만난 특별한 날이었다. 그날은 아침부터 눈이 펑펑 내렸고 나는 급하게 외출해야 했지만 어딘지 모를 설렘으로 가득 차 있었다. "오늘도 서로 잘해보자 이따가 만나" 방학이라 각자 방으로 공부하러 들어간 아이들에게 인사를 건넸다. 나는 노트북과 책 두 권을 꾸려 챙기며 집을 나서는데 뭔지 모르게 기대감이 들었다.

아침 9시, 나는 눈으로 덮인 산의 아름다움을 바라보며 카페 3층에 앉아 늘 마시던 라떼를 옆에 두고 노트북을 펼쳤다. 오늘은 눈이 많이 내려서 마음이 몽글몽글해지고 마치 여행 온 기분이다. 이날은 나에게 주어진 방학 중 프리랜서로서의 자유 시간 중 하나였다. 방학은 동전의 양면처럼 편안함과 동시에 아이들과의 함께 하는 시간이 많아서 두 배로 피곤함을 갖게 된다. 이날도 나는 말씀을 읽고 큐티를 하고 노트북에 내 생각을 기록하였고, 기록이 끝난 뒤 책을 읽었다. 이렇게 겨울방학에도 내 꿈을 향해 멈추지 않았던 나에게 Grow가 불쑥 찾아왔다.

"아.. 이제는 책을 써야겠다!" 아직은 아무것도 모르겠지만 나도 쓸 수 있을 것 같다는 생각이 들었다. 아마도 내 마음 한쪽에 자리 잡고 있던 책 쓰기라는 씨앗에게 나도 모르게 지속적으로 물을 주고 있었던 것 같다. 그리고 드디어 새싹이 머리를 내민 순간이라고 생각한다. 그렇게 쓸 수 있을 거라는 생각이 들면서 내 마음에 울림이 오래 머물며 가슴이 벅차올랐다.

Grow는 나에게 어떤 의미인지 설명하자면 이렇다, "주연아. 꿈은 완결형이 아니고 진행형이야 자신감을 갖고 하고 싶었던 책을 써보는 거야 충분히 쓸 수 있어. 지금까지도 너는 잘 해왔고 앞으로도 잘할 거야." 자라기를 멈추지 않는 것만으로도 내가 사랑하는 이주배경청소년들에게 부끄럽지 않은 자부심을 주는 상담사가 될 수 있어. 나도 자라나고 있듯이 "너희들도 충분히 잘하고 있어"라는 말을 책으로 전하고 싶었다. 이주배경청소년 상담사,교사로서 6년 차인 내가 최고의 위치에 있지 않다고 생각해서 책 쓰기를 두려워했다. 하지만 닫힌 마음의 문이 드디어 열렸고 문이 열리니 나와 이주배경청소년들을 바라보는 시각이 넓어졌다.

다시 말해 Grow는 꿈을 향한 집중과 포기하지 않는 의지를 상징한다. 나의 성장과 이주배경청소년들의 성장이 함께 어우러져 더욱 특별한 순간이 될 거라 기대한다. 과거에도 나는 계속 자랐고 현재에도 나는 자라는 중이고, 앞으로도 자라날 것을 나는 내 자신을 믿는다. 그래서 자신있게 너희들에게 말해 줄 수 있다. 나도 자라고 너희들도 자라고 우리 함께 자라나는 것 그 자체만으로도 우리 너무 멋지고 특별한 것 같다. 꿈은 완결형이 아닌 꿈은 진행형이다. 그래서 나는 Grow 쌤이고, 너희는 Grow 이주배경청소년들이라고 세상에 말해주고 싶다.

자라나는 GROW 쌤

'사표'

"사표를 낼까?말까?" 고민하다가도 월급이 들어오면 "그래 일하자 재미없어도 월급이 따박따박 들어오니까"라고 자신을 달래곤 했다. 하루 8시간 좋아하지도 잘하지도 않는 일을 하려니 좀이 쑤신다. 그렇게 한고비를 넘기면 또다시 찾아온다. "안 되겠어!" 내 인생이 아까워 이건 아니야 그만두자 이번 달에는 그만둘 거야" 라고 마음을 먹었다. 드디어 나는 몇 번이고 바뀌는 마음을 사표로 마침표를 찍었다. 안정적인 중견기업에서 멋들어지게 사표를 냈다. 이제 월급쟁이는 끝이다. 조금 슬픈데 후회할 거 같은데 그래도 끝났다. 후회해도 소용없다. 내 행복은 안정적인 월급과 기업이 아니었다. 내가 원하는 것을 얻기 위해 용기가 필요했다. 모두가 좋은 직장을 다니는 게 맞다고 할 때 아니라고 말하는 용기, 매달 따박따박 통장에 꽂히는 월급을 포기하는 용기, 미래가 막막해서 두렵지만 미래보다 현재 내 행복을 택하는 용기이다. 기대 반 염려 반으로 나를 바라보는 이들 앞에 서서 내 길을 가는 용기, 자랑할 수 없는 비록 소심한 용기 덕분에 난 한 뼘 자랐다고 말할 수 있다.

'창업'

오늘도 난 내 뱃속에 베개를 구겨서 동글 넓적한 바가지 모양을 만든다. "울퉁불퉁하잖아" 다시 꺼내서 매끈한 모양으로 다듬는다. 사람들도 많은 거리에서 뻔뻔하게 포즈를 취하면 촬영 한다. 내 직업이 무엇이냐고 말한다면 난 임산부 온라인 쇼핑몰 사업가이다. 고객층을 임산부로 선택한 건 나름 마케팅 전략이었고 도전이었다.

고등학교 때 잠시 패션디자이너를 꿈꿨었고, 부모님은 동대문에서 의류 사업을 하셨기에 나는 쇼핑몰 사업을 시작할 수 있는 기회를 좀 더 쉽게 구상할 수 있었다. 현재 내 직업은 대표이자 모델, 편집자, 의류 구매, 포장, cs담당자이다. 이 모든 업무를 혼자 다 했다. 지하철을 타고 신상을 구매해서 언덕 위에 있는 사무실까지 끙끙거리면서 출퇴근하곤 했다. 오픈하고 잘 되는가 싶더니 현금이 부족하고 재고가 쌓이고 광고비가 없어서 점점 유령 쇼핑몰이 되어갔다. 직원 없이 나 홀로 외로웠다. 무지하게 외로워서 슬펐다. 쇼핑몰의 존재감이 사라질 듯이 내 존재감도 유령이 되어가는 듯했다.

행복할 줄 알았는데 큰 착각이었다. 옷을 좋아해서 시작했는데 왜 일하면서 행복하지 않지? 왜 행복하지 않는 거야? 왜? 왜? 나나 자신에게도 누구에게도 물어 볼 수 없었다. 나는 옷만 좋아했다. 그것도 그냥 내가 입을 옷만 좋아했었다. 직업을 할 만큼 옷을 좋아하지 않았다. 심지어 사업가는 나랑 너무 안 맞았다. 그렇게 나의 사업은 망했다고 표현할 수 있다.

사업은 망했는데 아이러니하게 가장 많은 것을 얻은 2년이었다. 아가씨 배를 임산부 배가되게 했었고, 동대문 시장 언니들 앞에서 기죽지 않으려고 뻔뻔한 척, 경력자인 척했다. 젊은 체력 믿고 옷 보따리 매고 전철 타고 언덕 오르며 사입을(도매로 물건을 구입) 다녔다. 진상 고객 앞에서 억울하지만, 정신력을 다시 잡아보았다. 사업 운영비로 월급은 구경하기 어려웠지만 한달 한달 버텨왔다. 1인 사업가라 외로울 땐 1인 사업가 동료 찾아 비빌 언덕을 만들었다. 무에서 유를 만드는 무식해 보이는 행동 하나하나가 내 인생의 큰 재산이 되었고 망한 줄 알았던 2년이 나를 가장 크게 자라게 했었다.

'방황은 출구와 이어진 통로였다'

기혼자 명함과 꿈을 모르는 채 관심이 전혀 없는 직장에서 월급쟁이로 나는 살아갔었다. 친구들과도 연락이 꺼려지고, "요즘 무슨 일 하고 있어?"라고 묻는 관심마저 반갑지 않았다. 내 하루에 주어진 24시간이 초점을 잃어 방황하는 기분에 휩싸였다. 내 꿈이나 방향이 전혀 보이지 않아 무기력도 찾아왔다. 내가 좋아하는 것과 잘하는 것이 무엇인지 전혀 알 수가 없었다. 다른 사람들은 자기 길을 잘 찾아가는데 왜 나만은 이러한 모양인지 답답했다. 결혼을 했으니 생활 유지에 대한 부담은 없었지만, 나 자신에 대한 확신을 찾는 것은 여전히 어려웠다.

하지만 그건 그거고 나는 나를 찾고 싶었다. 어떤 직업을 찾으면 행복할지, 내가 무엇을 좋아할지, 내가 잘하는 것은 무엇인지에 대한 답을 찾고 싶었다. "내가 하고 싶은 직업은 도대체 무엇일까? 스스로 자랑스러워할 만한 직업은 무엇일까?" 내가 어떤 사람인지 생각하고 좌절하고 서럽게 울기도 했다. 진로 자가 검사도 하고 직업도 알아보고 내 생각을 기록하고 또 기록했다. 그렇게 나를 찾아가는 과정들이 겹겹이 쌓이기 시작했다.

그 과정에서 무뎌진 내 마음을 흔들어준 직업이 있었다. 낯설기는 했지만 나를 계속 궁금하게 만들던 직업상담사가 그것이었다. 고등학교 때부터 내 꿈의 방향을 찾지 못했고, 도움을 줄 수 있는 사람도 없었다. 꿈이 없으니 공부에도 힘이 빠져 원하지 않는 학과에서 공허한 시간을 보내다 사회로 내던져진 것만 같았다. 이렇게 외롭고 힘들게 꿈을 찾는 이들이 나만 있지 않을 거라고 생각했다. 나는 꿈을 찾는 이들에게 강렬하게 도움이 되고 싶어졌다.

그래서 용기와 무모해 보이는 행동을 또다시 시도하기로 했다. 나이 29살, 아이를 가진 임산부로 나는 나 자신을 찾기 위해 또 다시 용기와 행동을 선택했다. 배가 나온 무거운 몸으로 직장을 다니면서 독학으로 공부하고 출산 막바지에 직업상담사 자격을 한번에 얻게 되었다. 잠자는 시간을 제외하고는 7개월간 공부만 했었다.

이것이 내가 꿈꾸던 꿈에 한 걸음 더 가까워질 수 있을까? 한 줄기 빛이 되 줄 수 있을까? 의문을 품은 채로 확신이 부족했지만, 벅찬 감정을 다시 느낄 수 있었다. 그냥 살아도 되지만,핑계를 찾을 수도 있지만, 나는 몸부림을 심하게 치면서 그렇게 또 한 번 성장해 나갔다.

'엄마여도 꿈은 계속 자란다'

첫 아이가 돌을 넘기는 시기, 나는 커리어를 위해 세상으로 나아가기로 결심했다. 고용센터,여러 대학교에서 진행하는 취업사업, 교육청 취업 지원센터, 폐업자들을 위한 취업 상담, 온라인 여성경력개발센타 등 다양한 분야에서 신나게 활동 했다. 워킹맘이라는 제약이 있지만 이 직업이 나의 소명이었음을 깨닫고 행복을 느꼈다. 배우고 싶은 분야도 생겨서 사회복지학과 학위를 취득했고, 프리랜서로 활발하게 활동하며 다양한 연령대의 상담과 강의로 새로운 만남은 계속 이어졌다.

30대 중반, 진로 영역까지 확장하고자 진로교육상담 전공으로 대학원까지 수료했다. 엄마로서 자녀 양육도 포기할 수 없고 일도 고루 해야 하는 어려움이 있었지만, 나의 길은 있을 거라 생각했다. 둘째를 임신할 때도 끊임없이 공부와 자격증 취득으로 성장의 길을 걸어갔다. 아이 둘을 키울 때는 친정엄마 도움으로 아이를 돌보며 프리랜서로서의 일자리를 찾아나갔다. 그렇게 내 꿈을 향해 멈추지 않을 때마다 파트타임으로 일을 이어갈 수 있었다. 일이 순탄하지 않고 내 능력보다 버거울 때도 당연히 있었다.

프리랜서로 일하면서 돈을 지급해 주지 않는 업체도 만났었다. 풀 타임으로 일할 때는 눈치 보면서 퇴근하고 일에 충분한 에너지를 쏟지 못해서 서글펐던 적도 많았다. 그래도 내가 좋아하는 일을 하니깐 그 모든 고비들을 넘어가게 되었다. 즐기면서 내 일을 하니 일의 성과도 좋아 인정을 받을 때도 많았다. 내가 좋아하는 일을 추구하면 자신을 더욱 키워나갈 수 있다는 것을 깨달았다.

'나의 꿈은 너희로 정했다'

타지로 공부하러 온 학생들을 만남으로써 나의 꿈은 선명해졌다. 교육 전문가로서 앞으로 어떤 대상자를 만날까 고민하던 중, 이들과 만남은 우연이 아니라고 느꼈다. 매주 한국어 학당에 다니는 학생들을 만나 교제하며 그들을 더 깊이 알아가는 과정에서 타지에서 그들이 품고 있는 꿈에 감동받았다. 나 또한 꿈을 찾는 여정에서, 그들과의 만남은 마치 홀로 있던 타지에서의 나 자신과 닮아있었다. 한국으로 이주해 자신의 꿈을 찾기를 간절히 바라는 이들은 누구일까? 나의 이 질문에 대한 대답은 이주배경청소년으로 정해졌고, 본격적으로 그들을 알아가기 시작하며 그들과 6년째 함께하게 된 것이다.

지금도 이주배경청소년들은 국가 간의 경계를 넘어 꿈을 키우며 성장하고 있다. 나의 꿈이 더 이상 나만의 것이 아니었다. 자아정체성 확립의 과정을 겪는 중요한 시기에 이들은 타지로, 이곳 한국으로 이주했고, 언어와 문화의 장벽 등 여러 어려움을 마주한 채 꿈을 세우는 이주배경청소년들이 나를 깊이 끌어당겼다. 그렇게 내 마음속에 그들이 자리를 잡고, 나의 꿈이 되었다. 이렇게 내 마음에 너희들이 스며들어와 나의 꿈으로 지금도 자라고 있다.

'너희랑 친해지고 싶어'

"친해지고 싶은데 어떻게 하면 좋을까?" 영어 회화 실력도 유창하지 않아서 어떻게 친해질지 막막한 마음이 들었다. 번역기를 열심히 돌리고 돌려서 말을 걸고, 부담스러운 시선과 함께 들이대는 열정적인 내 모습, 엽서를 써서 마음을 전하기도 했다. 대화에서 대답을 듣지 못해도 끊임없이 다가가려고 노력하였다. 나는 너희랑 진심으로 친해지고 싶었다. "나는 왜 너희들이 좋은 걸까?" 나도 모르겠는데 그냥 너희들이 좋았다.

이주배경청소년 진로 교사와 상담사 입지는 매우 좁다. 한국인 청소년들을 만나면 좀 더 편하고 일자리도 많은데 그래도 나는 조금은 불편한 길을 선택했다. 언어 소통의 어려움이 있고, 문화적인 차이와 한참 사춘기를 겪고 있어 말이 없는 너희들을 만나서 힘들 때도 있지만 나는 괜찮았다. 그냥 너희들이랑 함께 있는 게 좋았다. 너희가 좋은 이유는 그냥이라고 말하는 게 정답인 것 같다.

'지식의 기적 그리고 선물'

몇 날 며칠을 준비해 왔지만, 이 정도만 가르치면 안 될 것 같아 허탈했다. "어떻게 하면 더 잘 이해시킬 수 있을까?"라는 고민에 빠졌고, 수업 공포증마저 느끼게 되었다. 다행히 아이들은 눈치를 채지 않은 것 같았다. 포기할 생각은 없었다. 그래서 나는 이번에도 잘 이겨낼 수 있음을 확신했다. 마침내 내가 쌓아온 지식 정보가 지혜로 탈바꿈하는 기적을 만났다. 나에겐 기적과 같은 느낌이었기에 기적이라는 표현을 했다. 너희들의 상황과 감정을 눈높이에 맞추어 적절히 전달하고자 했고, 다양한 국가의 조합의 교실 안 그리고 너희들의 감정을 이해하며 지식을 전달하게 되었다. 이런 노력을 통해 나는 학습과 경험을 적재적소에 활용하며 유연한 교사로 성장해 나갈 수 있었다. 출신국과 나이, 연령대, 문화가 가지각색인 너희들을 만나면서 나는 자라고 있음을 느꼈다. 지식을 전달하는 교사에서 지혜를 전달하는 교사로 성장하는 과정이 이주배경청소년들이 나에게 전달한 첫 번째 선물이었다.

GROW
이주배경청소년

다른 국가에서 온 청소년으로, 부모 또는 자신의 선택이 아닌 이민이나 난민 상황 등으로 새로운 국가로 이주한 청소년을 의미한다. 다양한 이주배경을 가진 청소년들이 한국 사회에서 우리와 함께 살아가고 있다.

생각하는 것이 인생의 소금이라면
희망과 꿈은 인생의 사탕이다.
꿈이 없다면 인생은 쓰다.

-바론 리튼-

THANK you

TO. 이주배경청소년

앞으로 시작할 이야기는 너희들 자신을 알아가고 꿈을 찾아가는 데 도움이 될 거야.
글의 분량을 줄이고 시각적 이미지로 쉽게 이해할 수 있도록, 가볍게 내용을 담았어.
번역기로 활용해서(사진 촬영 추천) 천천히 읽어가도 좋아. 한장 한장 천천히 따라가면 분명히 너희들의 꿈에 가까워질 거야!

from. Grow 쌤

오랫동안 꿈을 그린 사람은

마침내 꿈을 닮아간다

- 앙드레말로 -

진로는 우리 삶의 안내자, 마치 여행에서 선택하는 방향과 같아. 진로는 미래에 대한 계획과 방향을 설정하는 것으로, 내가 향하고 싶은 목표와 꿈을 찾아가는 모험이야. 이것은 내가 하고 싶은 일과 관심 있는 분야를 발견하고, 그것을 향해 노력하며 성장하는 과정이야. 진로는 내가 원하는 삶의 방식과 목표를 이루기 위한 로드맵이며, 가고 싶은 곳으로 나를 인도해 주는 길이야. 청소년들에게는 학업, 직업, 취미 등 다양한 분야에서 진로를 고민하고 선택할 수 있으며, 그 선택은 나의 삶을 크게 좌우할 수 있는 중요한 결정이야.

방향: 진로는 우리 삶의 길을 가르쳐주고,
우리가 향할 곳을 찾게 해

자기실현: 적절한 길을 찾고 노력해서 목표를
이루면, 내 안에 있는 능력을 최대한으로 발휘해

만족: 적합한 길을 택하고 그에 맞게 노력하면,
내가 원하는 삶을 살며 성공도 이루고 만족해

1장. 자기이해
SELF-UNDERSTANDING

꿈의 첫번째 열쇠 흥미

이주배경청소년 Story

나는 많은 언어를 할 줄 알고 좋아도 하는데.. 진짜로 좋아하는지 잘 모르겠어요

흥미가 너무 많아 선택하기 힘들어요

한국에 이주한 후 꿈이 사라졌어요 무엇부터 해야 할까요?

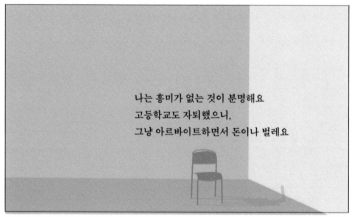

나는 흥미가 없는 것이 분명해요 고등학교도 자퇴했으니, 그냥 아르바이트하면서 돈이나 벌래요

☑ 내가 무엇을 할 때 즐거운지
10분 생각하기!

어떤 것을 하면 즐겁고 행복한지 생각해 보는 거야. 소소한 것도 뭐든지 다 좋아.

좋아하는 음악을 듣는 순간, 새로운 도시를 여행하며 다양한 음식먹기, 그림 그리기, 게임에서 승리하기, 강아지랑 산책하기, 소설 쓰기, 운동으로 몸을 활발하게 움직이며 스트레스 풀기, 꽃시장 가서 다양한 꽃구경하기, 예술작품 감상하기 등. 즐거웠던 순간을 기록해 보는 거야

영화보며 여유로운 시간을 보내기

친구랑 농구하기

좋아하는 음악을 들을때

동물 보호소에서 자원 봉사하기

✅ 행복한 순간을 사진으로 남겨놓기!

우리에게 공평하게 24시간 하루가 주어져. 누군가는 그 하루를 알차게 지내고 누군가는 흘러보내듯이 보낼 수 있어. 너의 하루 중에서 조금이라도 행복했던 순간을 사진으로 남겨 놓는 거야. 어렵지 않지? 나는 이른 아침 시간에 카페에서 라떼를 시켜놓고 혼자만의 시간을 가질 때 행복해. 안 가본 곳을 다니면서 새로운 음식을 먹는 것도 좋아해. 하루하루 그렇게 네 행복의 순간을 남겨두면 네가 좋아하는 흥미도 찾을 수 있어

- 일상 속 행복을 놓치지 않기
- 새로운 장소, 활동사진 찍기
- 하루의 루틴에도 행복이 있어
- 사진을 보며 글로 기록해도 좋아
- 2달, 6달,1년 사진의 기록이 쌓이면 공통점이 보일 거야

✅ 취미나 활동 그룹에 참여하기

새로운 사람들과 함께한다는 건 쉽지 않다고 생각해. 누구나 떨림이 있을 것이고 용기가 필요할 거야. 언어의 장벽으로 미루게 될지도 몰라. 하지만 같은 취미를 가진 사람들과 함께한다면 좀 더 편안함을 느낄 수 있어. 관심사를 소통하면서 공유하고 그 분야에서 깊이 알 수 있어. 나의 취미를 함께 하므로 즐거움은 더 커질 거야.

검색창에 활동 장소 검색하기 '이주배경청소년 활동' 클릭 이주배경청소년 관련 기관에서 다양한 서비스를 제공

🔍 이주배경청소년 활동 ×

⭐그룹 활동 및 토론: 취미활동 그룹 내에서 자기 이해에 관한 주제로 활동을 진행하고, 함께 토론하면서 서로의 관점을 공유할 수 있어.

⭐자기 이해 관련 활동: 그룹 내에서 자신을 알아가는 다양한 활동을 진행한다면 자아 인식을 높일 수 있어.

⭐이야기 나눔: 그룹 멤버들끼리 서로의 이야기를 공유하고 듣는 시간을 가지므로 각자의 경험과 이야기를 통해 서로에게 영감을 주고받을 수 있어.

⭐예술적 활동: 창의적 활동을 통해 자기를 표현하고 발전시킬 수 있어. 음악 연주, 글쓰기나 그림을 그리며 자신의 감정과 생각을 표현하고 발전시킬 수 있어.

☑ 질문 있어요!

일상에서 만나는 다양한 직업인들에게 궁금증을 품어보면 너희 흥미를 찾는 데 도움을 줄 거야. 아침에 새벽 배송으로 찾아온 배송원, 학교로 향하는 버스 안 기사님, 그리고 우리와 가장 많은 시간을 함께하는 교사도 있어. 음식점에 가면 상점 직원들도 있고 감기로 아플 때면 병원에서 의사와 간호사도 만나지 모두가 나의 일상에 함께 하는 직업인들이야. 이런 평범한 일상에서도 나에게 익숙한 직업인들에게 질문을 던져보면 어떨까? 그들이 하는 일에 관해 물어봄으로써 자신의 흥미를 발견할 수 있어. 어떤 학생이 나에게 이런 질문을 하더라고 " 쌤은 학생들과 함께 한 시간 중에서 가장 기억에 남는 순간이 언제예요?" 질문을 통해 나의 경험을 나누고 공유함으로써 그 친구에게 새로운 시야를 제공했을 거라 생각해. 이런 간단한 대화를 통해서도 우리를 발견하는 재산이 된다는 것을 기억해 줘.

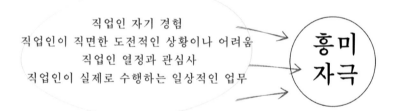

직업인 자기 경험
직업인이 직면한 도전적인 상황이나 어려움
직업인 열정과 관심사
직업인이 실제로 수행하는 일상적인 업무

흥미
자극

- 어떤 계기로 직업을 선택했나요?
- 업무에서 가장 좋아하는 일은 무엇인가요?
- 큰 자부심을 느꼈던 일은 무엇인가요?
- 이 직업에서 가장 어려운 부분은 무엇인가요?
- 직업을 갖기 위해 어떤 노력을 하였나요?
- 후배들에게 해주고 싶은 조언이 있나요?
- 전공과 무관해도 이 직업을 할 수 있나요?
- 앞으로 얼마 동안 이 직업을 유지할 계획인가요?

✅ 흥미 탐색 도구 활용

진로 탐색을 도와주는 도구를 소개할게. 너희들의 이해를 도우려고 '도구' = '도움이 되는 것' = '꿈을 찾아주는 친구' 이렇게 표현을 해봤어. 진로 탐색 도구는 자신의 흥미를 파악해서 적절한 진로나 직업을 선택하는 데 도움을 주는 것이야. 자신을 더 잘 이해하고 미래에 대한 목표를 세우고 다양한 선택지를 고려하는 데 도움을 준단다.

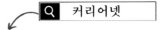

대표적인 검사 중 '홀랜드 직업흥미검사'를 소개할게.
개인의 흥미와 성향을 기반으로 직업을 분석하는 도구 중 하나야. 각각의 직업이 6가지 직업적 성격유형 중 어디에 해당하는지 알아볼 수 있어. 흥미 유형은 현실적(R), 예술적(A), 사회적(S), 기업적(E), 관습적(C)으로 나뉘어져 있어 각자의 특징에 맞는 직업을 찾을 때 도움이 돼.

실재형(Realistic - R): 실용적이고 구체적인 일에 흥미를 느낀 사람들, 손으로 만들기, 몸을 움직여서 활동하기, 기계나 도구를 사용하는 활동을 좋아해.

탐구형(Investigative - I): 탐구적이고 분석적인 성향을 조인 사람들, 지적 탐구를 즐겨하고, 문제 해결과 분석하고 해석하기를 좋아해.

사회형(Social - S): 사람들과 협력하며 돕거나 교육하는 것에 흥미를 느낀 사람들, 타인과 소통하며 상호작용하기, 공동체에서 일하는 것을 좋아해.

출처: 커리어넷 진로심리검사

기업형(Enterprising - E): 지도력을 행사하고 경쟁이 있는 활동에서 동기를 얻으며 성취감을 즐기는 사람들, 리더십 역할을 하며 사람들을 이끌기, 상업적인 활동을 좋아해.

관습형 (Conventional - C): 체계적인 작업, 규칙과 절차를 따르며 안정된 환경에서 일하는 것에 흥미를 느낀 사람들, 조직적인 업무, 데이터를 정확성이 필요한 분야에서 성과 내기, 숫자와 자세한 정보를 처리하는 활동을 좋아해.

출처: 커리어넷 진로심리검사

이번에는 간편하게 흥미를 알아보는 방법이야
-----------------흥미 분야 색칠하기---------------

자신의 흥미를 손쉽게 확인하면서 찾아낼 수 있는 흥미 분야 색칠 도구야. 이 도구를 활용하면 흥미 분야를 시각적으로 확인하고 색칠함으로써 직관적으로 파악할 수 있어. 도구에는 총 15가지 흥미 분야가 포함되어 있고 간략한 활동 안내 문구가 제공되어. 한번 해보겠어~?

미술(그리기, 색칠하기,클레이,패브릭아트,미술감상)	과학(실험,별자리관찰,환경보호,모형로켓제작)	컴퓨터(코딩, 프로그래밍, 로봇, 앱개발)	요리(빵굽기, 맛집투어,신메뉴 만들기)	자연(야외탐험,식물 키우기,곤충 탐구,산림 트레킹)
운동(수영, 농구,복싱,춤추기,등산,배드민턴)	사회활동(자원봉사,지역사회참여,국제봉사)	글쓰기(책읽기, 글로 표현, 토론하기)	음악(악기연습,노래부르기,음악감상,공연가기)	의료(보건소 봉사,건강 돌봄,마음 건강)
언어 및 문화(외국어 학습, 문화체험,해외여행)	미디어(영화제작,콘텐츠제작,미디어아트)	디자인(캐릭터그리기,패션스케치,색채조합 연습)		

Interview

우즈베키스탄에서
태어났고 러시아에서 성장했어요.
한국에는 2023년에 왔고
현재는 고등학교에 다니며 저의
꿈을 위해 노력하고 있어요.

저는 하고 싶은 일이 많고 흥미 분야가 다양해서 선택하기가 어려웠어요. 노래하기, 기타, 그림 감상, 리더 쉽 발휘, 생각을 글쓰기, 도와주기, 계획 짜기, 디자인하기, 경영, 관리하기... 정말 많죠?^^
나의 흥미에 대해 생각하면서 정리하기 시작했어요. 직업 흥미 검사도 했고요. 마침내 많았던 흥미 중에서도 내가 더 좋아하는 흥미를 찾게 돼서 기뻤어요.

직업에서 행복을 찾아라
아니면 행복이 무엇인지 절대
모를 것이다.

-앨버트 하버드-

꿈에 빨리 도달하는 적성

이주배경청소년 Story

" 저의 적성을 찾아서
고등학교 면접을 잘 보고 싶어요!!
아직 한국어가 서툴지만 자랑스럽게
적성을 이야기할래요"

"저는 잘하는 게 없어요...
학교에서도 언어가 어려워서
수업에 따라가기도 힘들고..."

자연스럽게 빛나는 적성

적성은 개인이 가지고 있는 자연스러운 재능, 능력, 특별한 기질이라고 말할 수 있어. 우리가 어떤 일을 할 때 자연스럽게 발휘하곤 하지, 이것은 수리, 언어, 리더십, 창의성, 예술 등과 같은 다양한 분야에서 다양한 형태로 나타날 수 있어. 적성을 발견하고 이해하는 것은 자신을 더 깊게 이해하고 미래의 성공을 위한 핵심 요소를 찾아가는 데 도움을 줄 거야.

✅ 다양한 경험에 도전하기

자신이 전혀 경험해 보지 않았던 분야에 도전하길 추천해. 자신이 전혀 경험해 보지 않았던 분야에 도전하는 것은 단순히 흥미로운 경험을 찾는 것 이상으로 좋아. 늘 해오던 경험에서는 발견할 수 없었던 새로운 흥미를 발견할 뿐만 아니라, 새로운 기술과 능력을 습득하는 기회로 이어져. 또한, 갖고 있던 능력을 발견하여 더 크게 키울 수 있어. 쌤은 다양한 경험에 도전하는 것을 두려워하지 않는 편이야. 그래서 방학 때마다 아르바이트도 종류별대로 시도해 보았고, 새로운 장소와 활동을 찾는 것도 즐겨 했어. 그러나 이러한 도전을 즐기지 않는 친구들도 있을 거야. 도전은 어려움 속에서 우리가 얼마나 놀라운 능력을 갖추고 있는지 얼마나 강한지를 시험하는 좋은 기회야. 그리고 이러한 도전을 통해 더 나은 미래를 향해 나아가기 위한 용기를 발휘할 수 있어. 너희들도 다양한 경험에 도전해 보는 것은 어떨까?

---------------소소하지만 특별한 순간들---------------

- 플로깅 활동(환경보호와 운동의 결합)
- 사이클링 탐험(운동과 자연 속 탐험)
- 피크닉 계획(친구들과 함께 보내는 즐거운 계획)
- 지역 예술 이벤트 참가(문화와 예술을 경험하는 기회)
- 책 읽기 클럽(다양한 읽기와 토론)
- 사회봉사(지역사회에 기여하는 경험)
- 어학 교환(언어습득과 다문화 체험)
- 화초 가꾸기(식물 키우기를 통한 자연과의 소통)
- 테마 카페 방문(다양한 주제에 대한 즐거운 체험)
- 글로벌 요리 체험(다양한 문화의 음식을 만들어보기)
- 연극 그룹 참여(연기, 무대 제작 참여)
- 음악 악기 연주(음악적 감각을 찾고 능력 향상)
- 사진 전시 참가(창작물 전시하면서 예술 경험)

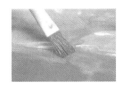  

☑ 다양한 눈으로 본 나

주변 사람들로부터 피드백을 받는 것은 자기를 더 잘 이해하고 성장하는 데 도움이 돼. 간략하게 강점이나 특징을 소개하고 피드백을 얻는 방법은 직접적이고 명확한 방법이야.

다른 사람들에게 자신에 대한 피드백을 요청하고 받는 것 또한 용기가 필요해. 먼저 편하고 가까운 가족과 친구들에게 물어보며 시작해 봐. 더 다양한 시각을 얻기 위해 다양한 지인들에게도 물어보는 것을 추천해. 너를 잘 알고 있는 친한 이들이 때로는 친숙한 관계로 인해 어떤 면에서 주관적일 수 있지만 다양한 지인들에게 받은 피드백을 종합하면 더 다양하고 균형 있는 결과를 얻을 수 있어. 자기 적성을 키워드로 정리한 종이를 활용하면 솔직하고 개방적인 대화를 끌어낼 수 있어. 키워드를 보여 주면 상대방과 편안하게 의견을 나누기 좋을 거야.

자기 주도적인   논리적인

호기심 있는   함께 일하는

창의적인   음악적 재능

외국어를 잘하는

잘 가르치는

잘 이야기하는   배우는 걸 즐기는

잘 어울리는   미술을 잘하는

도전을 즐기는

문제를 잘 푸는   책임감 있는

긍정적인   독립적인   책을 좋아하는

탐구심이 높은

운동을 잘하는

✅ 적성 흥미 검사

커리어넷 직업적성검사

이 검사는 청소년들이 직업과 관련된 다양한 능력을 어느 정도 보유하고 있는지를 스스로 진단하도록 도와주고 있어. 이를 통해 자기성찰과 진로, 직업 세계를 더 잘 탐색할 수 있도록 돕는 검사야. 자신의 강점과 발전할 수 있는 부분을 파악하고 미래 진로 결정에 도움을 줄 수 있어.

특징

- 청소년들이 직업과 관련된 다양한 능력을 교육적으로 경험
- 검사 결과 및 다양한 직업군에 필요한 능력과 개인의 적합성 제공

이용방법

커리어넷
(https://www.career.go.kr/
직업적성검사→검사 수행→결과 확인

- **신체운동능력**: 기초 체력을 바탕으로 효율적으로 몸을 움직이고 동작을 학습할 수 있는 능력
- **손재능**: 손으로 정교한 작업을 할 수 있는 능력
- **공간지각력**: 머릿속으로 입체적인 물체의 위치나 모습을 상상하여 떠올릴 수 있는 능력
- **음악능력**: 노래 부르고, 악기를 연주하며, 감상할 수 있는 능력
- **창의력**: 새롭고 독특한 방식으로 문제를 해결하고, 아이디어를 내는 능력
- **언어능력**: 말과 글로써 자기 생각과 감정을 표현하며, 다른 사람의 말과 글을 잘 이해할 수 있는 능력
- **수리논리력**: 논리적으로 사고하여 문제를 해결하는 능력
- **자기성찰능력**: 자신을 돌아보고, 생각과 감정을 조절하며, 자신에게 주어진 여러 자원을 관리하는 능력
- **대인관계능력**: 조직 속에서 구성원들과 협조적이며 원만한 관계를 유지하는 능력
- **자연친화력**: 인간과 자연이 서로 연관되어 있음을 이해하며, 자연에 대하여 관심을 가지고 탐구·보호할 수 있는 능력
- **예술시각능력**: 선, 색, 공간, 영상 등에 민감하게 반응하고 조화롭게 재구성할 수 있는 능력

출처: 커리어넷 진로심리검사

Interview

필리핀에서 한국으로 온 지는
일 년 정도 되었어요.
아직 꿈이 없었는데, 나의 높은 능력
을 찾는 덕분에 자신감이 생겼고 나의
꿈에 가까워졌어요!

꿈은 없었지만, 공부가 재미있어서 내 삶을 위해 열심히 살고 있어요.
나는 기타를 다루는 것을 좋아하고 잘한다고 생각해요. 하지만 내가
특별히 잘하는 것과 기타 이외에 어떤 것을 잘하는지를 잘 몰랐어요.
그런데 나에게 음악 능력, 언어 능력, 대인관계 능력이 매우 높았다는
것을 알게 되었어. 내가 이렇게 멋지다는 것이 놀라워요!

Interview

제가 가지고 있는 언어능력을
키워서 대학교를 입학하고 싶어요.
한국어와 중국어를 잘하기에 중국어
문학과에 관심을 두고 알아보고 있어요.

고2라서 나에게 맞는 학과를 찾는 것이 중요했어요. 흥미 분야도 여러 개 있었지만 제가 잘하는 적성을 활용해서 대학교에 입학하는 것이 좋을 거라 생각해요. 대인관계 능력과 언어능력을 발전시켜서 멋진 직업인으로 살아갈 모습을 생각하면 기대돼요. 잘하는 것에 노력을 더할 때 놀라운 강점이 될 거라 믿어요.

잘하는 것이 없다고 너 자신을 포기하지마.
우린 모두가 재능이란 선물을 받았어.

-GROW 쌤-

특별한 이야기 '가치'

✅ 가치관

가치관은 너의 마음에 자리 잡은 특별한 규칙이야. 네가 어떤 일을 선택하거나 어떻게 살아가는지에 큰 영향을 준단다. 가치관은 네가 누구이고 원하는 것이 무엇인지를 나타내는 지침이야. 마치 네 인생을 안내하는 지도와 같아서 나아가야 할 방향을 알려주고 원하는 목표에 도달하도록 도와줘. 선생님은 '함께하는' 가치관을 따르고 있어. 다양한 사람들과 협력하고 소통하며 공동체에 기여하고자 하는 의지를 갖추고 있어. 이런 식으로 가치관은 개인이나 공동체에 어떤 가치를 중요시하는지에 대한 지침을 제공하고, 인생의 여러 측면에서 어떻게 행동해야 하는지를 안내해 줘.

너는 어떤 삶을 살고 싶은지 생각해 봐.

나는 '_____' 되고 싶다

나는 통역사가 되고 싶다
나는 반려견 미용사가 되고 싶다
나는 의사가 되고 싶다
나는 시각디자이너가 되고 싶다
나는 건축사가 되고 싶다
나는 프로그래머가 되고 싶다
나는 작가가 되고 싶다
나는 선생님이 되고 싶다
나는 배우가 되고 싶다

나는 '_____' 위해 살고 싶다

나는 <u>사람들 간의 소통을 원활하게 돕는</u>
통역사가 되고 싶다

나는 <u>반려견의 건강과 외적 아름다움을 책임지는</u>
반려견 미용사가 되고 싶다

나는 <u>환자들의 질병과 고통이 힘듦을 덜어주는</u>
의사가 되고 싶다

나는 <u>사람들의 마음을 움직이는 시각의 아름다움을 만드는</u>
시각 디자이너가 되고 싶다

나는 <u>사람들이 편안하게 살 수 있는 환경을 창조하는</u>
건축사가 되고 싶다

나는 <u>새로운 아이디어와 솔루션을 창출하는</u>
프로그래머가 되고 싶다

나는 <u>독자들에게 영감과 위로를 전하는</u>
작가가 되고 싶다

나는 <u>학생들의 잠재력을 발휘하도록 도와주는</u>
선생님이 되고 싶다

나는 <u>작품을 통해 사람들에게 인생의 다양한 모습을 보여주는</u>
배우가 되고 싶다

"무언가 되고 싶다." 자신의 개인적인 성취나
목표를 달성하고자 하는 의지!

"무언가를 위해 살고 싶다." 자신+다른
사람이나 사회에 기여하고 싶다는 의지!

나의 꿈을 향한 여정에는 도전과 성장의 연속이
될 것이고, 너희가 선택한 '가치'는 너희를 언제
나 앞으로 나아가게 만들어 줄 거야. 우리가 사는
이 세상을 더 따뜻하고 특별한 이야기로 채워줄
가치를 꼭 찾길 바랄게.

☑ 직업가치관

일을 하는 동안 개인이 중요하게 여기는 가치를 직업 가치관이라고 해. 이것들은 우리가 어떤 직업을 선택하고 어떤 방식으로 일하며 삶을 즐기는지에 영향을 준단다. 예를 들어 누군가는 '협력'을 중요하게 생각하여 사람들과 함께 일하고 싶어 할 거야. 또 다른 사람은 '창의성'을 중요하게 여겨서 예술이나 창작 활동을 통해 자신의 창의성을 펼치고자 할 거야. 이처럼 자신이 중요하게 여기는 가치에 따라 선택하는 직업이 달라질 수 있어. 직업 가치관은 개인의 삶과 직업 간의 조화를 찾아가는 데 도움을 주는 중요한 안내자가 될 거야.

직업 가치관을 1위부터 3위를 찾아볼까?

- 봉사: 다른 사람들에게 도와주는 일에 가치를 둔다
- 인정: 다른 사람들에게 인정을 받는다
- 보수: 노력과 기술에 대해서 많은 월급을 받는다
- 자율: 통제를 받지 않고 자율적으로 일을 한다
- 장래성: 현재보다 미래에 더 발전 가능성이 있다
- 몸과 마음의 여유: 스트레스를 적게 받으며 여유를 가진 직업 갖는다
- 사회발전에 공헌: 사회에 긍정적인 영향을 미친다
- 직업안정: 한 직장에서 오래 일할 수 있는 직업을 갖는다
- 창의성: 창의적이고 독특한 아이디어를 발휘하며 일한다
- 능력: 자기 능력을 발휘하여 성취감을 느끼고 싶다
- 변화지향: 여러 분야에서 다양한 경험을 쌓으며 일하고 싶다
- 여가시간: 충분한 여가를 가지면서 인생을 즐기고 싶다
- 지식추구: 새로운 지식과 기술을 얻는 직업을 갖는다
- 협력: 다른 사람들과 협력하려 함께 성공을 이루고 싶다

'너희들의 직업 가치관 순위 3가지'를 기록하기

1위 나의 직업가치관은 _____ 이에요.
2위 나의 직업가치관은 _____ 이에요.
3위 나의 직업가치관은 _____ 이에요.

중요하다고 생각하는 이유는?

분야별 인물들의 직업 가치관이 담긴 명언

"당신이 하는 일에 열정을 가져야 합니다. 그게 성공과 재미의
열쇠입니다." - 스티브 잡스(Steve Jobs) - 기업가,기술인

"과학은 일종의 예술입니다. 가장 놀라운 것은 실험의 결과가
아니라 발견의 힘입니다." - 마리 캐리(Marie Curie) - 과학자

"일에 정열을 두어라. 그렇지 않으면 그 일은 시간 낭비에 불과하다."
- 코코 샤넬 (Coco Chanel) - 패션 디자이너, 사업가

"지구의 생태계는 하나의 큰 가족이다. 우리는 모두 서로 연결돼
있다." - 제인 구드럴 (Jane Goodall) - 생물학자, 인류학자

"의사는 환자를 치료할 뿐만 아니라, 환자가 스스로 치유할 수
있도록 도와야 한다." 히포크라테스 (Hippocrates) - 의학자

Interview

가치관을 생각해 볼 기회가
없었어요. 나에게 가장 중요한
가치관은 '도전'이었어요!
'실패는 두렵지만 그래도 도전해야
한다'라고 의미를 붙였고 앞으로
내가 도전할 것을 찾을 거예요

이집트에서 2015년 한국으로 이주했어요.
중학교에 올라와 책임감도 생기면서 나의 진로에 관심을 두게 되었어요.
나의 가치관은 도전, 믿음, 공평, 노력, 발전으로 '도전'이라는 가치관
처럼 한국에서 많은 도전을 해볼 거예요!

2장. 진로탐험
CAREER EXPLORATION

대학 진학 정보

아직 많이 한국어가
서툴러요. 그래도 입학
가능한가요?

패션디자이너가 꿈이에요.
외국인도 실기 시험을
준비해야 하나요?

대학교 입학하려면
TOPIK(토픽) 몇 급으로
준비해야 할까요?

대학은 가고 싶은데
학비 부담이 커요.. 저도
장학금을 받을 수 있나요?

우즈베키스탄에서 미술학교를
다녔어요. 좋아하는 미술로
한국 대학교를 가고 싶어요
정보를 하나도 몰라요

✅ 대학 진학을 위한 필수 정보

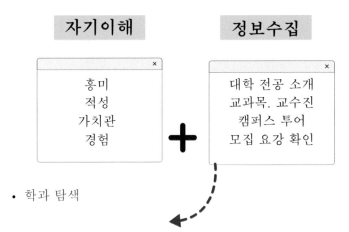

- 학과 탐색

국내에서는 대학의 학과 및 전공 정보를 통합적으로 검색할 수 있는 '커리어넷' 이라는 사이트가 그중 하나야.
대학과 학과별로 제공되는 전공, 학위과정, 졸업 후 진로 등을 확인 할 수 있어.

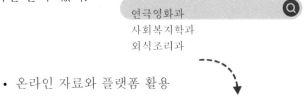

- 온라인 자료와 플랫폼 활용

대학 진학 관련 정보를 얻기 위해 온라인 자료와 플랫폼을 활용해 봐. 대학 웹사이트, 온라인 채널에서 많은 정보가 많아.

☐ Google과 같은 검색 엔진을 활용하여 키워드 "대학 검색" 또는 "외국인 전형 대학"과 관련된 키워드로 검색하기(다양한 진학 사이트)
☐ 대학 웹사이트 접속하기(대학 학과, 교수진, 분위기, 시설)

□ 대학 인스타그램 및 유튜브 채널 구독하기(최신 소식 제공)
□ 대학별 모집 요강을 탐색(전공, 입학요건, 입시절차 등을 제시)

'국제 입학' 섹션에서 언어별로 제공되는 정보를 상세히 살펴보는 거야. 또한, 입학처나 국제처에 직접 문의하여 정확하고 신뢰할 수 있는 정보를 얻을 수 있어.

- 학교 자원 활용

학교에서 제공하는 진로진학 상담 서비스를 활용하거나, 학교 도서관에서 관련 서적을 찾아봐. 또한 학교 내 동아리 활동 참여도 대학 진학에 도움을 줄 수 있어.
□ 상담교사에게 대학 진학 상담 도움받기
□ 학교에서 주최하는 대학 진학프로그램 참가하기
□ 도서관 대학 진학에 관련된 도서를 찾아보기
□ 동아리 활동으로 인사이트 얻기

- 진로 탐험 프로그램 참여

지역 사회나 학교에서 개최되는 진로 탐험 프로그램에 참여하여 다양한 진로와 대학 정보를 얻을 수 있어.
□ 캠퍼스 투어 프로그램(직접 경험)
□ 대학 멘토링 프로그램(실제 대학생과 조언과 도움)
□ 지역에서 개최하는 직업/취업 박람회 구경하러 가기(대학 진학 선택에 도움)

☑ 외국인 학생 전형 tip

• 언어능력 강화
TOPIK 한국어 능력 시험은 응시 필수며, 또
한 대학 수업을 이해하고 소통하기 위해 한
국어 능력을 향상하는 것이
아주 중요해.

SEHO
university

SHAWN GARCIA
사회과학대학
정치외교학부부
6050 1357 85974257

• 학업적 성취
대학 진학을 위해 중학교와 고등학교에서 출
결이 가장 기본이야. 성적이 만족스럽지 않
더라도 꾸준한 학습 태도를 유지하며 학교
활동을 열심히 하는 것도 도움을 줘. 외국인
전형은 교내 상. 교외 상이 반영되니 준비하
면 유리하겠지.

• 문화 이해 및 적응
새로운 환경과 문화에 적응하는 노력도 해보
자. 다양한 문화 체험을 통해 사회 적응 능력
을 키우면 대학교 생활에도 도움을 줄 거야.

• 자립 능력 향상
대학 생활에서 필요한 자립 능력을 미리 준
비해보자. 시간 관리, 스케줄 관리,자기 계
발, 문제 해결 능력을 키워 대학 생활에 대비
해 보자.

전형안내

총합전형(교과성적 +학교활동)
전형시기와 서류는 대학마다 다름

✅ 선배님 대학 생활 후기

H사이버대학교

청소년심리상담학과

Q) 대학교에 다녀서 좋은 점은?
더 많은 것을 배울 수 있어서 좋아요.

Q) 학교 수업이 한국어라 어렵지 않나요?
전문용어를 제외하면 어렵지는 않고 모르는 것은 교수님께 물어보면
잘 알려주세요.

Q) 대학교 학비는 어떻게 마련하나요?
학비는 일하면서 모으고 있어요.

Q) 이주배경청소년 후배들에게 해주고 싶은 말은?
언어 때문에 어렵다고 생각하지 말고, 한국어 초급이라도 열심히 하면
따라갈 수 있어요. 그리고 아직 무엇을 해야 할지 잘 모르면 진로 선생
님 도움을 받으세요. 같이 이야기하고 생각하다 보면 답이 나올 거예
요. 처음에는 아주 혼란스럽고 방황할 수 있지만 포기하지 말고 하고
싶은 것을 천천히 하면서 적응해 가면 돼요.

검정고시 정보

검정고시는 초중등교육법과 고등교육법에 따라서 중·고등학교 및 대학의 입학 자격과 그에 필요한 지식, 학력, 기술을 검정하기 위해 실시되는 시험이야. 이는 학교를 졸업하고 대학에 진학하거나 취업하기 위해 필요한 능력과 지식을 평가하는 시험이고 국가에서 주관해. 이 시험은 정규 고등학교를 재학하지 않거나 학업에 어려움을 겪는 청소년들을 위한 대안적인 방법으로 제공된 거야. 청소년들은 검정고시를 통해 학력을 증명하고 나아가 자신의 꿈과 목표를 이룰 기회를 가질 수 있어.

- 고등학교 졸업 학력 검정고시는 고등학교 졸업과 동일한 자격을 주는 시험
- 필수(6과목) : 국어, 영어, 수학, 사회, 과학, 한국사
- 선택(1과목) : 도덕, 기술·가정, 체육, 음악, 미술 중 1과목

- 합격 기준

이 고시는 6과목의 필수 과목과 1과목의 선택 과목으로 모든 과목의 평균 점수가 60점 이상이면 합격으로 인정되며, 이는 고등학교 졸업과 동일한 자격을 부여해. 시험 성적 60점 이상인 과목에 대해서는 과목 합격을 인정하고, 본인이 원하면 다음회의 시험부터 해당 과목의 시험을 면제하고 그 면제되는 과목의 성적을 시험 성적에 합산해.

(정확한 정보는 반드시 한국교육과정평가원 사이트에서 확인)

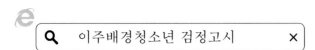

Q   이주배경청소년 검정고시   ✕

- 이주배경청소년 관련 기관에서 검정고시 대비반 운영
- 초.중졸 반, 고졸 반 모집

이주배경청소년 검정고시 이야기

• 학력 배경
이주배경청소년은 주로 이주나 이민으로 인해 학력 적으로 뒤처진 경우가 많아서 정규 고등학교를 졸업하기 어려운 경우가 있어.

• 언어 및 문화적 장벽
이주배경청소년들은 종종 언어 및 문화적인 장벽으로 인해 학교 교육 시스템에서 어려움을 겪을 수 있어

• 사회적 경험의 부족
이주배경청소년들은 종종 사회적인 경험이 부족하거나 다양한 사회적 활동에 참여하기 어려운 경우가 있어

• 학습 환경의 차이
일부 이주배경청소년들은 이주 과정에서 학습 환경의 변화로 인해 학업에 대한 관심이나 자신감이 저하된 경우가 있어.

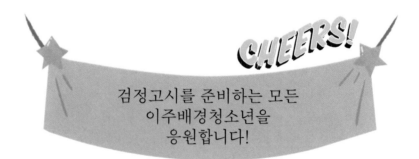

CHEERS!

검정고시를 준비하는 모든
이주배경청소년을
응원합니다!

Interview

'공부한 만큼 놀기'라는 마인드를 가지고 시간을 효율적으로 계획했어요. 공부 시간에는 오늘 할 공부 주제만 생각하며 집중했고, 휴식 시간에는 충분히 휴식을 누렸어요. 규칙과 균형를 유지한 것이 저의 검정고시 합격 tip이에요.

인터넷과 이주배경청소년센터, 그리고 진로 상담사의 도움으로 나는 스스로를 더 잘 이해하고 대학 진학 계획을 세울 수 있게 되었어요. 대학에 입학하면 선택한 전공에 집중하여 공부할 것이고, 수업 전후로 교과서와 인터넷 자료를 활용하여 예습과 복습을 열심히 할 예정입니다. 검정고시를 어렵게만 생각하지 말고 계획을 세우고 집중력을 유지해 보세요. 공부를 위한 휴식 시간도 자유롭게 누리세요.

Interview

생각한 것 보다 검정고시 공부가 어렵지 않았어요. 주 2회 학원에서 한국어 공부와 센터에서 검정고시를 병행하며 합격을 위해 노력했어요. 또한, 대학교와 학과에 대한 관심이 많아서 미리 알아보며 저의 미래를 준비했어요.

초등학교 6학년 때 한국 생활을 시작했고 같은 국적 친구들이 있어서 학교 생활도 괜찮았어요. 검정고시로 제가 원하는 미래를 그리며 대학교 입학을 위한 노력을 열심히 했어요.
관심 학과(러시아어문학과, 다문화학과, 한국어학과,사회복지학과) 정보를 수집한 것도 동기부여를 얻을 수 있는 좋은 방법이였어요.

직업 정보

이주배경청소년 Story

"내가 원하는 직업은 자동차 디자이너인데, 한국에서 요구하는 학력이 궁금해요"

"한국에서 미래 전망이 밝은 직업은 무엇인가요?"

"직업 선택에 부모님은 도움을 주지 못해요. 인터넷을 통해 직업을 알아볼 수 있나요?"

"취업은 하고 싶은데 한국에는 어떤 직업이 있는지 모르겠어요"

"한국에서 안정적인 직업을 찾아서 정착하고 싶어요."

✓ 직업정보

너희들이 성장하고 꿈을 향해 나아가는 동안, 세상에는 다양한 직업들이 있어. 이번 직업 정보에서는 홀랜드 흥미 검사를 기반으로 나만의 흥미를 느낄 수 있는 적합한 직업을 선택하는 데 도움을 줄 거야. 이러한 직업들은 각자의 특성과 가능성을 가지고 있어서, 너희의 미래를 위한 길잡이 역할을 할 거야 함께 알아보자!

한국에는 다양한 직업이 있어서 정확하게 숫자로 파악하기는 어려워. 쌤이 만난 친구들과 함께한 직업 릴레이 활동에서는 50개 이상의 직업을 나열하는 것이 쉽지 않았어. 다양한 직업들을 알려면 노력이 필요하고, 그만큼 한국에는 다양한 분야가 많다는 것을 알게 되었어. 2020년 한국직업사전 통합본 제5판에는 총 12,823개의 직업이 수록되어 있어. 이 다양한 직업은 너희들이 꿈과 키우고 가능성을 더욱 확장하는 데 큰 도움이 될 거야.

직업 정보를 얻을 수 있는 사이트 중 하나인 '커리어넷 직업백과'에는 약 500개 직업 정보를 탐색할 수 있어. 각 직업의 하는 일, 핵심 능력, 적성 및 흥미, 준비 방법, 직업 전망, 업무수행 능력 등 정보를 손쉽게 얻을 수 있어. 너희들의 꿈에 잘 맞는 직업을 찾을 수 있으므로 미래를 설계하는 데에 도움이 될 거야.

✅ 흥미 유형별 직업정보

- 현실형(R)
- 기계기술: 비행기조종사, 자동차정비원, 항공기정비원, 치과기공사, 의료장비기사, 공업기계조작원, 보석세공원, 요리사
- 사회안전: 경찰관, 군인, 응급구조사, 경호원, 소방관
- 농림환경: 동물조련사, 조경원
- 운동: 운동선수, 경기심판, 스포츠강사, 스포츠트레이너

응급구조사

- 하는일: 구조 업무, 응급처치,환자이송, 처치내용 의사에게 보고
- 핵심능력: 신체운동능력
- 흥미: 타인 배려와 봉사에 관심 도구 사용 및 신체능력 활용에 흥미
- 평균연봉: 4,144만원

조리사

• 준비방법
- 정규교육과정(고등학교,대학교 조리과를 졸업하면 유리)
- 직업훈련: 일반교육훈련기관에서 훈련
- 관련자격증: 국가자격증으로 한국산업인력공단에서 분야별로 시행
- 취업방법: 조리사 관련 자격증 취득하여 일반음식점. 호텔외식부, 단체급식소,전문외식업체, 식품가공업체 등.

- 탐구형(I)
- 이학공학연구: 수학연구원, 의학연구원, 물리학자, 화학자, 생물학자, 로봇연구원. 대체에너지개발연구원, 지질학연구원, 천문학자
- 인문사회연구: 경제학연구원, 심리학연구원, 교육학연구원, 철학연구원, 언어학연구원, 인문사회계열교수, 행정학연구원, 사회학연구원

출처: 커리어넷 직업백과

로봇연구원

- 직업전망: 로봇을 활용하는 분야가 기존의 수요처인 제조업체뿐만 아니라 의료, 국방, 환경, 실버, 개인 서비스, 교육, 엔터테인먼트 등으로 더욱 확대될 것이기 때문에 로봇시장은 크게 발전할 것임. (자료: 워크넷 직업정보)
- 직업만족도: 일자리 증가 가능성, 발전 가능성 및 고용안정에 대해 재직자가 느끼는 직업만족도는 77% (자료: 워크넷, 로봇공학기술자(2021))

심리학연구원

- 관련학과: 심리학과
- 적성: 인간의 복잡한 행동과 정신 과정을 과학적 방법으로 체계적으로 분석하기 위해서 논리적으로 사고하여 문제를 해결할 수 있는 수리·논리력이 필요함.
- 흥미: 인간의 행동과 정신 과정에 대해 관찰하는 것을 좋아하고, 논리적이고 합리적인 사고를 즐기는 사람임.

• 예술형(A)

- 음악: 가수, 작곡가, 지휘자, 연주가
- 미술: 화가, 패션디자이너, 만화가, 일러스트레이터, 제품디자이너, 웹디자이너, 인테리어디자이너
- 문학: 방송작가, 소설가, 드라마작가, 애니메이션작가, 극작가, 시인
- 방송영상: 연기자, 개그맨, 연극연출가, 영화감독, 모델, 마술사

일러스트레이터

- 관련학과: 광고디자인과, 디지털디자인과, 시각디자인과, 컴퓨터디자인학과
- 하는일: 주로 광고나 영상 매체의 그림이나 문양을 도안하고 제작하는 일을 담당 스타일이나 주제를 연구하고, 관련 시장의 추세 및 고객의 기호 등을 조사
- 평균연봉: 3,500만원

작가

- 핵심능력: 언어능력, 창의력
- 흥미: 책 읽기를 좋아하고 자신의 생각이나 감정을 글로 표현, 사물이나 사람에 대한 세밀한 관찰력이 있으며, 사회현상에 대해 호기심이 많음
- 적성: 문장력이 있어야 하며 자기 생각과 감정을 글로 잘 표현할 수 있는 언어능력이 필요, 극본을 창작해야 하므로 독특한 방식으로 생각하고 아이디어를 내는 창의력

출처: 커리어넷 직업백과

- 사회형(S)
- 교육: 유치원교사, 초등학교교사, 중등학교교사, 서비스강사
- 사회복지서비스: 사회복지사, 간호사, 비행기승무원, 시니어
컨설던트, 다문화가정상담전문가. 상담가

유치원교사

사회복지사

- 준비방법
- 정규교육과정 전문대학 및 대학교
에서 유아교육과, 유아교육학과를 졸
업하면 유치원정교사 2급을 취득(대
학원의 유아교육을 전공하는 경우에도
유치원 정교사 자격을 취득)
- 관련자격증: 국가자격증으로 유치
원정교사(1급, 2급), 일정 경력 이상
및 자격연수를 이수하면 1급 정교사
자격 취득
- 취업방법: 유치원정교사 자격이 있
는 경우 국공립 유치원이나 사립유치
원에 취직(국공립유치원에 근무하기
위해서는 각 시도에서 실시하는 임용
시험에 합격)

- 일.가정균형(매우좋음), 사회공헌(매
우좋음)
- 직업전망: 향후 5년간 사회복지사의
일자리 규모는 늘어날 전망, 고령화로
인한 고령인구 및 독거노인 증가 등에
따른 노인복지, 다문화가정의 증가로 인
한 다문화가정 복지, 여성 경제활동참가
율 상승에 따른 아동 및 보육복지 등 수
요 계층에 따라 정부의 복지정책이 다변
화, 사회복지에 대한 수요가 증가하고
있는 만큼 향후 사회 전반에서 사회복지
사의 일자리가 증가
(자료: 워크넷 직업정보)

- 기업형(E)
- 관리경영: 경영컨설던트, 기업고위임원, 호텔지배인, 고위공무원
- 사회언론: 외교관, 기자, 아나운서, 스포츠해설가, 변호사, 국
회의원
- 영업판매: 공인중개인, 판매원, 쇼핑호스트, 외환딜러, 자동차
영업원

출처: 커리어넷 직업백과

- 관련학과: 경제학과, 국제문화정보학과, 국제통상학과, 국제학부, 러시아어문학과, 불어불문학과, 일본어과, 중국어, 행정학과, 영어영문학과 등.
- 핵심능력: 자기성찰능력, 수리논리력, 언어능력
- 흥미: 사람들 앞에 나서거나 설득하는 것을 좋아하고 발표와 연설에 자신감, 문서를 작성하고, 검토를 통해 정리하고, 일정을 조율하며 계획적인 일

자동차영업원

- 업무수행능력: 협상, 서비스 지향, 설득
- 지식중요도: 영업과 마케팅, 고객서비스
- 업무환경: 치열한 경쟁, 움직이는 기계, 불쾌하거나 무례한 사람 상대
- 핵심능력: 대인관계능력
- 흥미: 제품을 소개하고 판매할 수 있고 다른 사람들 앞에서 발표하고 설득하기

• 관습형(C)
- 사무행정: 일반공무원, 비서, 사서
- 세무회계: 회계사, 회계사무원, 은행출납사무원, 세무사

사서

- 하는일: 도서관과 자료실에서 도서 및 자료를 배치하고 보관하며 이용자가 자료를 편리하게 열람 및 대출할 수 있도록 지원, 자료의 내용, 주제에 따라 도서 자료를 분류하고, 규정된 분류 체계에 따라 분류 연호와 표제를 결정 등.
- 평균연봉: 3,204만원
- 일.가정균형(좋음), 사회공헌(보통미만)

세무사

- 업무수행능력: 재정관리, 수리력, 협상
- 지식중요도: 경제와 회계, 경영 및 행정, 법
- 업무환경: 의사결정 가능성, 앉아서 근무, 실수의 심각성
- 평균연봉: 6,750만원
- 흥미: 문서 작성, 회계 처리, 자료 검토 등의 업무를 수행하기 위해 맡은 일에 책임감을 가지고 세심하고 꼼꼼하게 일을 처리

 출처: 커리어넷 직업백과

☑ 직업정보 수집 방법

- 유튜브 활용

유튜브 브이로그를 활용하여 직업 탐색이 가능해. 현직자들이 직접 촬영한 영상을 통해 그들의 일상과 업무를 소개해 줘. 직업에 대한 실제 경험을 직접 확인할 수 있어서 좋아. 관심 분야 직업 브이로그를 찾아보며 자신에게 흥미로운 분야를 발견할 수 있어. 이를 통해 직업 선택에 대한 더 나은 이해를 얻고, 자신에게 맞는 진로를 선택할 수 있어.

🔍 게임프로그래머 브이로그

플로리스트
통역사
사회복지사
중국어 강사

✔어떤 정보를?
업무환경
업무 수행 과정
직업에서 겪는 주요 도전
격는 어려움
업계동향
직업전망

- 직업탐색 사이트

- 워크넷 (www.work.go.kr):고용노동부 고용정보시스템, 구직, 구인 등 일자리 채용정보, 직업훈련, 실업대책, 고용보험 안내

- 커리어넷 (www.career.go.kr): 교육부 제공 진로정보망, 직업 및 학과 정보, 진로상담, 진로심리검사, 진로동영상, 진로교육자료 수록

- 사람인 (www.saramin.co.kr): 한국에서 인기 있는 채용정보 플랫폼 중 하나로 다양한 기업들의 채용정보 확인

- 잡코리아 (www.jobkorea.co.kr): 한국의 대표적인 채용 정보 플랫폼 중 하나로 다양한 채용정보와 기업 리뷰를 제공

✅ 이주배경청소년 강점을 활용한 직업

• 외국어 전문가

두 언어를 능숙하게 구사할 수 있는 이주배경청소년들의 강점으로 외국어 전문가로서 통역이나 번역 분야에서 일할 수 있어. 정부 기관, 의료 현장, 국제 비즈니스 등 다양한 분야에서 필요한 역할이야. 예를 들어 통역사(언어 간 의사소통을 중계하고 번역하는 전문가), 번역가(글, 문서, 책 등을 언어에서 언어로 번역하는 업무를 담당하고 번역이 필요한 다양한 분야에서 활동), 다국어 마케팅 전문가(기업이나 광고 대행사에서 문화와 언어를 융합한 마케팅 전략을 개발하는 전문가), 언어 교육자(학교, 학원, 온라인 교육 플랫폼에서 외국어 전문가로 활동)선택한 분야에 따라서 언어 능력 외에도 특정 분야에 대한 전문 지식도 요구되기도 해.

• 다문화 마케터

너희들이 본국과 이주한 한국에서 겪은 다양한 문화를 이해하므로 다문화 소비자층에 대한 마케팅 전문가로 활동할 수 있어. 기업에서 다문화 고객을 대상으로 하는 마케팅 전략을 개발하고 수행할 수 있어. 글로벌 마케팅 담당자(국제시장에서 제품과 서비스를 판매하기 위한 전략을 계획하고 실행), 다문화 광고 대행사 담당자(광고 및 마케팅 전략에서 다양성과 문화 요소를 효과적으로 반영), 다문화 커뮤니케이션 전문가(기관이나 기업에서 소통 전략을 수립하고 관리하며 효과적인 의사소통 전략을 개발하여 다문화 환경에서 성공에 도움을 줌)

- 다문화 상담 및 사회복지전문가

다문화 가정이나 이주민들에게 다양한 사회복지 서비스를 제공 또는 개인이나 가족에게 상담 서비스를 제공하여 문제해결을 도와줘. 다문화 상담사(학교, 상담 기관, 정신 건강 기관, 병원 등에서 상담사로 활동), 다문화 사회복지사(비영리단체, 사회 서비스 기관, 지자체 사회복지 부서 등에서 다문화 가정을 대상 으로 서비스를 제공)

- 국제 비즈니스 전문가

다문화적인 배경을 가진 이주배경청소년은 국제 비즈니스 환경 에서 뛰어난 적응력을 발휘할 수 있어. 다양한 국가와 문화 간 에 비즈니스 관계를 형성하고 관리하는 역할을 수행할 거야. 국 제 무역 전문가(국가 간 무역 활동을 관리하고 촉진), 글로벌 비즈니스 컨설턴트(기관이나 기업이 국제 시장에서 성공적으 로 경영을 할 수 있도록 컨설팅)

이주배경청소년 강점
- 다양한 언어에 능통한 능력은 다국어 문서 작성 통역, 번역 등에서 활용
- 다문화 언어 능력으로 직업에서 만나는 고객들과 효과적으로 소통
- 다양한 문화에 대한 민감성과 깊은 이해(문화 감수성 이해)
- 다문화적인 경험을 활용한 교육과 자원을 효과적 활용
- 이주민들에게 신뢰성과 공감력

☑ 관심 직업을 탐색하여 메모하기

1순위

- 직업명:
- 하는일:
- 핵심능력:
- 적성.흥미:
- 준비방법:
- 관련학과:
- 진출분야:

2순위

- 직업명:
- 하는일:
- 핵심능력:
- 적성.흥미:
- 준비방법:
- 관련학과:
- 진출분야:

Interview

매장에 외국 고객들이 많이 오시는데, 제가 통역을 할 수 있어서 고객들이 좋아하셨어요. 또한 저를 찾아주시는 한국 단골 들도 많아서 제 직업에 자부심을 느껴요.

처음엔 한국에서 직업인으로 살아가기가 어려울 것 같다고 생각했지만, 생각보다 괜찮았고 업무에 적응도 잘하게 되었어요. 걱정하지 말고 뭐든지 해봐야 자신을 알게 되는 것 같아요. 직업을 찾고 싶은 후배들은 이주배경청소년센터에서 한국어도 배우고, 취업과 관련된 자격증도 취득하면 도움이 많이 될 거예요. 하고 싶은 것이 있다면 생각만 하지 말고 행동으로 옮겨보세요. 행동하면 나중에 내가 진짜 잘했다고 깨닫게 될 거예요. 모두 화이팅~!!

진로의사결정

자기 이해와 진로 탐험을 통하여 나만의 잠정적 진로 대안을 찾았다면, 이제 그중에서 나에게 가장 잘 맞는 최적의 진로를 찾아가는 단계로 나아가 보자. 진로 의사결정은 자신의 미래에 관련된 진로 및 직업에 대한 선택을 내리는 과정이야. 개인이 자신의 역량과 가치관을 생각하여 진로를 선택하도록 하는 것을 목표로 두고 있어.

진로의사결정 중요성

✓ 자기이해를 높임
'자신을 알아가고 무엇이 나를
행복하게 하는지 알게 해줘'

✓ 미래 방향성 제시
'내가 원하는 인생과 목표를
설정하는 첫걸음이야'

✓ 학업과 연계
'공부하는데 동기부여를
얻을 수 있어'

✓ 삶의 만족도 높아짐

☑ 진로 대안 평가 매트릭스

진로 선택을 도와주는 방법으로 '진로 대안 평가 매트릭스'를
소개할게. 이 도구는 다양한 진로 옵션을 평가하고 비교하여 최
적의 진로를 찾는 데 도움을 주는 시각적 도구야. 각 진로를 정
량적으로 평가하고, 마지막으로 가장 적합한 진로를 선택하는
과정은 아래와 같아.

① 평가 기준: 어떤 기준으로 진로를 평가할지 결정하기
(흥미, 적성, 가치관, 성격 등)

② 가중치 부여: 기준에 중요도를 정하기, 어떤 기준이 더
중요한지를 생각하여 각각에게 가중치를 부여함

③ 비교 및 최종결정: 작성한 매트릭스를 통해 각 진로를
비교하기, 높은 점수를 얻는 진로를 확인하기
(가장 높은 점수를 얻은 진로를 선택하는 것이 좋아)

④ 피드백 및 조정: 다른 사람들의 의견을 듣고 도움을 받
을 수도 있고, 결정 과정을 더 강화하고 다양한 관점을 수
렴하여 더 나은 결정을 내릴 수 있도록 도와주는 단계

매트릭스로 선택지에 점수 매기기(예시 자료)

평가기준	가중치	선택지 (패션디자이너)	선택지 (교사)	선택지 (사회복지사)
적합도/ 적성	15	8	10	12
적합도/ 흥미	15	10	10	11
적합도/가치관	10	8	12	13
적합도/성격	10	9	11	11
합계	50	35	43	47
매력도/준비방법	15	11	9	12
매력도/월급	10	12	12	9
매력도/워라밸	15	11	13	9
매력도/직업전망	10	10	10	13
합계	50	44	44	43
총점	100	79	87	90

진로 대안 평가 매트릭스를 사용하면 나에게 가장 잘 맞는 진로를 찾는 데 도움을 줘. 복잡한 진로 결정이 어떤 결과가 나왔는지 궁금하네. ˙ ˙

3장. 진로계획 및 준비
CAREER PLANNING
AND PREPARATION

진로 계획

진로를 선택하는 과정에서 마지막으로 정한 진로를 중심으로 진로 계획을 세우고 준비하는 방법을 알려줄 거야. 먼저,계획을 세울 때는 내가 이루고 싶은 목표를 정하고, 시간을 효율적으로 관리하는 법을 알려줄 거야. 그리고 계획을 짜고 나서는 피드백을 받아서 필요한 부분을 조정해야 해. 그다음으로는 선택한 진로에 필요한 준비 사항 및 공부법을 알려줄 거야. 이렇게 하면 청소년들이 진로를 더 명확하게 계획하고 준비할 수 있어!

진로계획 세우면 얻을 수 있는 것!

방향성
목표 설정
자기개발
선택의 폭
미래 불안감 완화

진로준비를 하면 얻을 수 있는 것!

경쟁력
자기개발
기술 습득
성취감
미래 안정성

✅ 진로 계획 / 목표 설정 방법

1 SMART 목표 설정: SMART는 Specific(구체적인),
Measurable(측정 가능한), Achievable(실현 가능한),
Relevant(관련된), Time-bound(기한이 정해진)의 약어로,
목표를 SMART 기준에 따라 설정하면 명확하고 실현할 수 있
는 목표를 세울 수 있어.

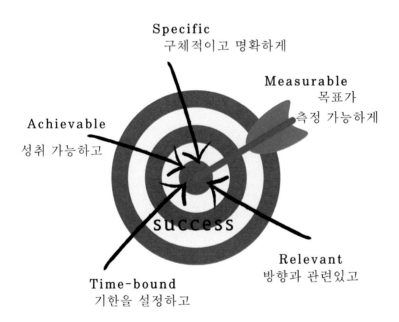

Specific(명확하고 구체적인 목표 세우기)

"운동하기"

"한 달 동안 주중에는 매일 아침 30분씩 걷기"

Measurable(측정 가능한 목표 세우기)

"더 열심히 공부하기"

"한 달 동안 매일 아침 7시에 기상하여 책상에 앉아서 공부를 시작하고, 매일 공부한 시간을 기록하여 주간 총공부 시간을 20시간 이상 달성하기."

Achievable(실현 가능한 목표 세우기)

"3달 동안 한국어를 완벽히 구사하기"

"3달 동안 매일 한국어 회화 연습을 위해 어휘 10개씩 학습하고, 매일 드라마를 시청하고 자막을 읽어 보며 문장 구조와 표현을 익혀서 일상생활 대화에 익숙하게 하기"

Relevant(자신의 꿈과 관련된 목표 세우기)

"한 달 동안 매일 요리 공부하기."

"2달 동안 매일 한국어 회화 수업을 듣고, 한국 문화와
사회에 대한 이해를 높이기, 그리고 매주 한국 영화나 드라
마를 시청하여 언어 실력을 향상하기"

Time-bound(목표달성 기간 정하기)

"게임 개발하기

"다음 주까지 매일 1시간씩 게임 개발 공부를 하여 새로운
게임 아이디어를 기획하고, 프로토타입을 제작하여
게임 개발 능력을 향상해서 두 달 후에는 자체 개발한 게임을
완성하여 출시하기"

2 WOOP 방법: WOOP은 Wish(소망), Outcome(결과), Obstacle(장애물), Plan(계획)의 약어야. 이 방법은 우리가 원하는 것을 소망하고, 그것이 무엇을 가져다줄지를 생각하며, 장애물을 인식하고 그것을 극복하기 위한 계획을 세우는 방법이야. 이를 통해 목표를 세우고 이루는 과정을 더 구체적으로 이해하고 실행할 수 있어.

"6개월 후에 한국어능력시험 (TOPIK)을 통과하여 한국어 실력을 향상하고, 대학 진학이나 취업에 도움을 얻고 싶어."

"TOPIK 시험을 통과하여 한국어 실력이 향상되고, 대학 진학이나 취업에 대한 가능성이 높아지면, 한국에서 적응도가 높아질 거야."

"일상생활에서의 언어적 부담감과 시간 부족으로인해 공부에 대한 동기부여 유지가 어려울 수 있어."

"매일 조금씩 한국어 공부를 진행하고, 주말에는 모의고사를 보며 실력을 향상할 것이며, 공부 목표를 달성할 때마다 나에게 작은 보상을 주어 동기부여를 유지할 거야."

✅ 진로 계획/ 일일 주간 계획 세우기

- 3가지 핵심 목표 설정: 매일 아침이나 전날 저녁에 하루 동안 반드시 해야 할 1-2가지 핵심 목표를 설정하기
- Post-it 활용: 큰 목표를 작은 메모에 적어서 눈에 띄는 곳에 붙여.
- 간단한 체크리스트: 목표를 달성할 때마다 체크리스트를 작성해. 목표를 달성할 때마다 성취감을 느낄 수 있어.
- 유연성 유지: 바쁘거나 상황이 변할 때, 목표를 조정하고 유연하게 대처하면 돼. 너무 엄격하게 목표를 고정하지 않고 상황에 맞게 조절해 보자.
- 일일 피드백: 하루가 끝난 후에는 달성한 목표와 그날의 일정을 되돌아보고 간단하게 되돌아보자. 오늘의 성취를 기뻐하고 내일을 기대하자.

일일 To-Do List를 작성하는 방법

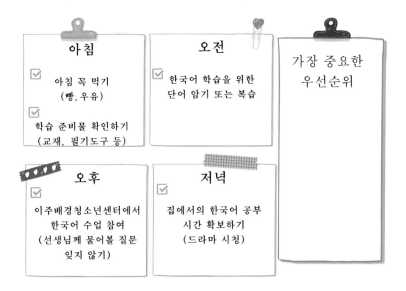

아침
- ☑ 아침 꼭 먹기 (빵, 우유)
- ☑ 학습 준비물 확인하기 (교재, 필기도구 등)

오전
- ☑ 한국어 학습을 위한 단어 암기 또는 복습

가장 중요한 우선순위

오후
- ☑ 이주배경청소년센터에서 한국어 수업 참여 (선생님께 물어볼 질문 잊지 않기)

저녁
- ☑ 집에서의 한국어 공부 시간 확보하기 (드라마 시청)

진로 준비

진로준비는 이주배경청소년들에게 정말 중요한 과정이야. 이게 말 그대로 학교를 졸업한 후에 어떤 길을 갈지를 결정하고 그에 맞는 준비를 하는 거야. 진로 준비를 통해 우리는 내일의 목표를 설정하고 그걸 이루기 위해 필요한 걸 준비할 수 있어.

⊘ 진로 준비/ 학습과 기술개발

학습 방법에 들어가기 이전에 나의 학습유형을 아는 것은 매우 중요해. 여러 이유로 인해 학습환경이나 학습 방식에 대한 차이가 있을 수 있기 때문에, 개인의 학습 유형을 이해하고 자신에게 가장 잘 맞는 학습 방법을 찾을 수 있어. 예를 들어, 누군가는 그림을 보면서 이해하고 기억하는데 뛰어나지만, 또 다른 사람은 듣기를 통해 더 잘 이해하고 기억할 수 있어요. 학습 유형을 알면 자신에게 맞는 학습 방법을 찾을 수 있고, 그로 인해 학습 효율이 높아지고 성취도도 높아지게 될 거야.

- EDT 학습유형 진단 (www.ebsi.co.kr)

| EDT 학습유형 진단 🔍 | '10분 간편검사 체험해보기' |

EDT 학습유형 진단검사는 인지, 정의, 행동적 측면을 종합적으로 고려하여 학습자의 선호도와 특성을 파악하는 데 사용되고 있어(총 8개의 학습자 유형으로 구분). 각 유형은 다양한 학습 방식과 특성을 나타내며, 학습자가 어떤 유형이 더 가까운지를 확인하는 데 도움이 돼.

출처: EBSi 학습유형검사

 나의 유형을 알게 되면

☆가장 효과적인 학습 방법을 찾을 수 있어
☆개인의 학습 유형을 알게 되면 자신에 대한 이해가 높아져
☆학습 과정이 더욱 흥미롭고 만족감을 느껴
☆어떤 학습 방법이 적합하지 않은 줄을 파악하고 이를
　극복하는 데 도움을 얻어

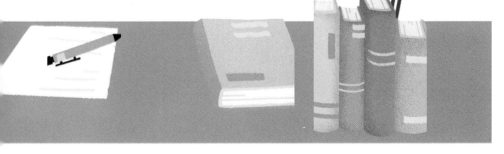

- 학업준비

똑똑한 메모 기술
- 간단하게 요약: 교과서를 읽고 중요한 내용을 요약하기! 요약이 어려우면 색깔 펜으로 강조하여 구분하여 시각적으로 기억하는 것도 좋아

- 모바일 앱 활용: 메모 앱을 활용하여 간편하게 메모를 작성하고 필요할 때 언제든지 확인 가능(카테고리별로 분류하면 필요한 정보를 쉽게 찾을 수 있어) 사진을 찍어서 메모장에 쏙~ 넣어두는 것도 간편해

똑똑한 기억 기술
- 반복 복습: 공부한 내용을 복습하면서 주기적으로 반복하기,
(아침, 점심, 저녁에 10분 활용) 새로운 정보를 반복해서 보면 장기적인 기억에 도움이 돼~

- 다양한 방법으로 복습: 다양한 방법으로 복습해 보자. 예를 들어 친구에게 가르쳐주는 것이나 스스로 설명하는 것 등이 효과적이야.

똑똑한 메타인지 기술
- 학습 과정의 모니터링: 학습 과정의 모니터링은 자주 학습을 멈추고 내가 이해한 부분과 이해하지 못한 부분을 체크하는 거야. 예를 들어, 수학 문제를 푸는데 어려운 부분이 있으면 그 부분을 메모해 두고, 나중에 다시 공부할 때 도움이 될 거야.
- 자기평가와 피드백:공부를 마친 뒤 내가 얼마나 잘 이해했는지를 스스로 확인하는 거야. 예를 들어, 수학 시험이 끝난 후에 내가 푼 문제를 다시 확인하고, 내가 어떤 문제를 잘 풀었고 어떤 문제가 어려웠는지를 생각해 봐. 그러면 내가 어떤 부분을 더 공부해야 할지 알 수 있어. 이렇게 자기평가와 피드백을 통해 내 강점과 약점을 알고, 더 나은 학습 전략을 개선할 수 있어.

• 언어 및 문화학습

- 언어 교환 파트너

언어 교환 파트너를 찾아 이주배경청소년들이 한국 친구들과 대화하는 것은 언어 및 문화 학습에 큰 도움이 될 수 있어. 친구나 파트너를 만나면 자연스럽게 언어를 연습하고 함께 문화를 공유할 수 있어. 학습을 자연스럽게 진행하며 새로운 경험과 지식을 얻을 수 있는 좋은 방법이야.

- 다양한 매체 활용

학습 언어 및 문화를 습득하는 데에는 다양한 매체를 활용하는 것이 아주 유용해. 영화(자막을 통해 언어를 익히고, 영화 속 상황을 통해 문화를 이해), 드라마(일상적인 대화나 문화를 이해), 음악(어떤 가사나 멜로디가 기억에 남으면, 해당 언어나 문구도 함께 기억될 가능성이 높아), 동영상(언어 교육 채널이나 문화 관련 채널을 구독하여 다양한 주제의 동영상을 시청하며 학습)등을 통해 언어와 문화를 경험하고 익힐 수 있어.

- 언어 및 문화 수업

학습 언어 및 문화에 대한 전문적인 수업을 이용하는 것도 좋은 방법이야. 이주배경청소년센터나 학교에서 제공하는 한국어 수업을 통해 전문적인 지도를 받고 체계적으로 학습할 수 있어. 또한 이주배경청소년 관련 기관에서는 문화 축제, 전통 행사, 요리 수업 등을 통해 언어와 문화를 체험하고 이해할 수 있어.

• 경험과 활동을 통한 진로 준비

- 커뮤니티 참여

커뮤니티 참여는 함께 모여서 이야기를 나누고 도우며, 서로에게 새로운 것을 배우며 함께 성장하는 것이야. 이를 통해 새로운 지식을 습득하고 성장할 수 있어.

- 멘토링 프로그램

경험 있는 선배나 전문가의 만남을 통해 조언과 지도를 받는 방법이야. 이를 통해 멘티는 가이던스를 받고 실무 경험을 쌓으며 성장할 수 있어.

- 학교 및 지역 자원 활용

학교나 지역의 학습 센터, 지역 청소년 센터를 활용하여 다양한 교육 프로그램에 참여하는 것이에요. 이를 통해 학업 성취도를 높일 뿐만 아니라, 학교나 지역 사회와의 연결고리를 더욱 강화할 수 있어.

자기 이해와 진로 탐험을 통해 자기를 알고, 내가 좋아하는 것과 잘하는 것을 알게 되면, 내 미래에 대한 계획을 세우는 게 쉬워져. 여러 가지 직업을 알아보고, 어떤 일을 하고 싶은지 생각해 보는 건 중요해. 내가 선택한 직업에 필요한 것을 준비하고, 내가 꿈꾸는 미래를 향해서 나아가면 돼. 이렇게 하면 내가 행복한 직업을 찾을 수 있고, 계획에 맞춰 준비할 수 있어.

자기이해 **+** 진로탐험 **+** 진로 계획및준비

Interview

꿈이 소방관이었지만 확신이 부족했어요. 진로 계획을 통해 나 자신의 가능성을 확인했고 소방관을 해야겠다는 마음이 확고해졌어요. 미래를 위해 고민과 계획을 세우는 것이 얼마나 중요한지를 알게 되었어요.

한국과 몽골 이중국적을 가지고 있는 것이 저의 강점 중 하나라고 생각해요. 직업을 선택할 때 내가 이 일을 좋아하는지, 잘하는지가 중요하다고 생각해요. 저는 관심 직업을 직접 조사도 하고, 진로 계획을 학년별, 한 학기마다 기간을 잡아서 세웠어요. 저의 꿈이 구체화하는 과정이 쉽지 않지만 계속 꿈을 향해 나아갈 거예요.

Interview

나에게 맞는 학과를 찾고 대학교에 입학하는 것으로 목표를 세웠어요. 목표를 이루기 위해서 구체적인 계획도 준비했어요. TOPIK 6급 합격, 대학교 탐방, 대외 활동, 대학 입학 서류 준비하기 등. 목표에 도달하도록 노력할 거예요.

저는 친구들을 좋아하고 잘 어울려요. 국적은 중국이지만 여러 나라 친구와도 함께 하는 것을 좋아해서 학교생활이 어렵지 않아요. 계획한 것을 하나씩 이루어가면 내가 원하는 대학교에 꼭 입학할 거예요. 대학마다 요구하는 대학 제출 서류가 다르니, 내가 가고 싶은 대학 입시 자료를 미리 알아보는 것을 추천해요.

성공한 사람이 되려고 노력하기보다
가치있는 사람이 되려고 노력하라.

-알버트 아인슈타인-

• 참고

"이주배경청소년들이 잘 정착하고 꿈을 이룰
수 있도록 지원해 주는 기관을 소개할게"

- 이주배경청소년지원재단(www.rainbowyouth.or.kr)
 이주배경청소년을 지원하고 더불어 살아가는 다문화 사회를
만들어가는 비영리 재단법인입니다

- 안산시글로벌청소년센터(www.globalansan.com)
 다문화 청소년, 중도입국청소년, 이주배경청소년, 난민가정을
지원합니다

- 수원시글로벌청소년드림센터(www.swglobalyouth.com)

마침 그리고 시작
ENDINGS ARE BEGINNINGS

시작하는 너희들에게

이 책의 마지막 페이지에 도착한 너희들에게 고마운 마음을 표현해. 너희들은 여기에서 멈추지 않길 부탁할게. 이 책을 단순히 읽는 것으로 끝나는 것이 아니라, 이주배경청소년들의 미래를 설계하고 이루는 걸음걸음이 되길 소망해.

GROW 샘이 준비한 선물

새로운 도전에 맞서야 할 때
어려움을 극복해야 할 때
목표를 이루기 위해 꾸준한 노력이 필요할 때
자기 자신에 대한 도전해야 할 때
실패와 좌절을 겪었을 때

.

.

열정을 통해 잠재되어 있는 가능성을 발견하길!

인내

꿈을 이루기 위해 필요한 조건이나 환경이 충분하지 않을 때
어떤 목표를 달성하기 위해 노력하면서 결과를 기다릴 때
꿈에 도전할 때 성과가 뚜렷하게 나타나지 않을 때
자신의 역량을 향상하기 위해 시간과 노력을 투자할 때
꿈을 이루기 위해 필요한 조건이나 환경이 충분하지 않을 때
.
.

인내로 성장하길!

도전

자기 자신을 발전시키고 싶을 때
새로운 경험을 쌓고 싶을 때
새로운 목표를 세우고 나아갈 때
현재가 편해서 오랫동안 머무르고 있을 때
불가능에서 나를 테스트하고 싶을 때
.
.

도전으로 가능성을 발견하길!

자신감

실패를 극복하고 다시 일어설 때
새로운 그룹에 속할 때
불확실한 상황에서 결정을 내릴 때
나보다 다른 사람들이 멋져 보일 때
자신의 가치를 인정받고 싶을 때
.
.

자신감으로 행복하길!

thank you

Dear. GOD

"You´ve given me the vision
and belief to see my life from
chaos to clarity."

From. juyeon